Enseignement moral et religieux catholique

Deuxième année du primaire

# Les Clés secrètes

Manuel de l'élève

**NICOLE DURAND-LUTZY**

Office de catéchèse du Québec

FPR • CEC

Cet ouvrage est conforme aux orientations définies par l'Assemblée des évêques du Québec.
Et il a été revu par un évêque accompagnateur du Comité épiscopal de l'éducation.

Conception, recherche et rédaction : Nicole Durand-Lutzy
Révision biblique : Jean-Pierre Prévost, s.m.m.
Évêque accompagnateur : Mgr Vital Massé
Collaboration : Pierre Guénette

Éditeur : Michel Maillé
Coordination éditoriale : Diane Aubry-Martin
Direction artistique : Gianni Caccia
Illustration de la page couverture : Céline Malépart
Illustrations : Pascale Constantin (récits bibliques), Sylvie Deronzier (pictogrammes),
Christiane Gaudette (activités : p. 9, 10, 17, 35, 37, 43, 79, 81, 83 et 90),
Céline Malépart (récits et personnages modernes)
Infographie : Design Copilote
Source des photos : Gérard Lacz, p. 42, Publiphoto, p. 37 et 42, Réflexion Photothèque, p. 36, 37 et 42

Activités aux pages 29, 39, 50, inspirées de *J'aime lire*, n° 94 décembre, p. 52.
Activités aux pages 59, 61, 65, 76, inspirées de *J'aime lire*, n° 87 mars, p. 52.

**Merci à Élaine Leclaire pour son inspiration.**

Dépôt légal : 1e trimestre 1998
Bibliothèque nationale du Québec
Bibliothèque nationale du Canada
ISBN : 2-89499-005-7
Imprimé au Canada

© Les Éditions d'enseignement religieux FPR inc.
316, rue Benjamin-Hudon
Saint-Laurent (Québec)
H4N 1J4

Téléphone : (514) 745-6500
Télécopie : (514) 745-4710

© Les Éditions CEC inc.
8101, boul. Métropolitain Est
Anjou (Québec)
H1J 1J9

Téléphone : (514) 351-6010
Télécopie : (514) 351-3534

# Table des matières

Bonjour ! Nous sommes des détectives réputés. Nous voyageons avec notre guide et ami Boussole. Boussole nous conduit partout sans jamais se tromper de route. Ses yeux sont comme des radars.

On nous appelle Pantoufle et Pantouflette parce que nous marchons sans faire de bruit.

Avant de partir à la recherche des clés secrètes, nous aimerions mieux te connaître.

▶ Quel est ton nom ?

▶ Comment s'appelle ton meilleur ami ou ta meilleure amie ?

Je t'invite à suivre Pantoufle et Pantouflette. Ils cherchent des clés secrètes. Ces clés ne se voient pas avec les yeux. Elles se cachent dans le cœur des enfants et des adultes. Elles te serviront à ouvrir toutes sortes de portes. Bonnes découvertes !

Nicole

Voici les règles des détectives.
Ces règles te permettront de faire des découvertes.
Respecte-les.
Tu trouveras les clés secrètes.

## Je me prépare

- J'écoute les consignes.
- Je me rappelle mon expérience.
- Je raconte ce que je sais.

## Je fais une recherche

- Je m'informe.
- J'écoute les explications.
- Je réfléchis.

## Je m'arrête

- Je raconte mes découvertes.
- Je choisis la découverte que je trouve importante.
- Je partage ma découverte avec les autres.

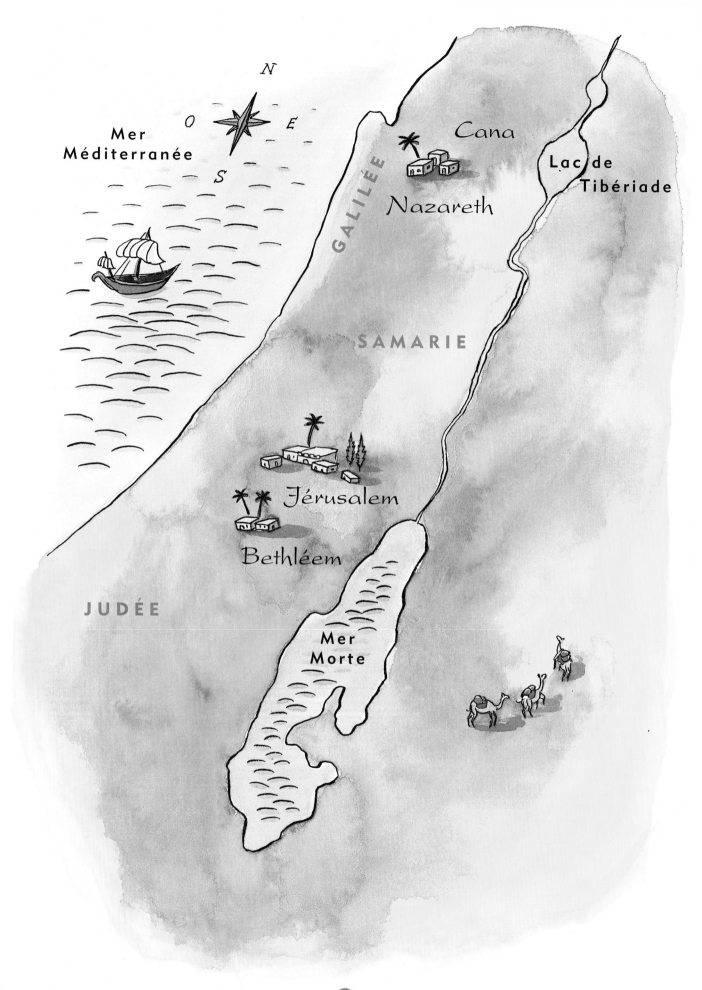

# 1 Vive la compagnie !

# Les gens de Nazareth étaient-ils tous des amis ?

## Un coffre mystérieux

Nous voilà arrivés sains et saufs ! La dernière tempête m'a complètement épuisé. Des vagues géantes nous ballottaient et nous emportaient loin du rivage.

Pantoufle et Pantouflette étaient morts de peur ! Ils ne voulaient pas non plus manquer leur rendez-vous au bureau. Leurs parents les attendaient pour éclaircir un mystère.

J'ai besoin de reprendre mon souffle. Je vais aller m'étendre au soleil quelques minutes. Toi, regarde ce qui se passe par le trou de la serrure. À bientôt !

PANTOUFLE ET PANTOUFLETTE enquêtes de toutes sortes.

CLÉS SECRÈTES

Ce coffre était à votre porte. Je ne sais pas à qui il appartient.

Il y a un message dans la pochette. Il est codé. Peux-tu m'aider à le lire ? On en apprendra peut-être un peu plus.

| 🥦 | 〰️ | 🌴 | 🎭 | ☁️ | 🐦 | ☸️ | ☀️ | ⛺ | 🏺 | 🪀 |
|---|---|---|---|---|---|---|---|---|---|---|
| a | e | i | m | n | o | r | s | t | u | y |

► Découvre la lettre qui se cache derrière chaque dessin.

« J'aime beaucoup faire des activités avec les autres. Malheureusement, je n'ai plus d' 🥦🎭🌴☀️ . Noémie ne trouve pas mes jeux intéressants. Raphaël rit de mes vêtements. Ruth m'a fait beaucoup de peine. Je me suis disputé avec mon frère.

Je suis ⛺☸️🌴☀️⛺〰️ . As-tu des 〰️☁️☁️🏺🌴☀️ comme moi ? Connais-tu des 🎭🐦🪀〰️☁️☀️ pour bien s'entendre avec les autres ? Dans l'ancien temps, les choses étaient peut-être plus faciles. **À l'époque de Jésus, est-ce que les gens étaient tous des amis ?**

S'il te plaît, aide-moi à comprendre.

Cœur triste »

9

# Mes joies et mes difficultés

Cœur triste me fait penser à des enfants que je connais. Est-ce que tu ressembles à Cœur triste ?

► Partage tes difficultés avec Cœur triste. Lis attentivement son message. Trouve les mots qui représentent des situations que tu as déjà vécues.

► Partage un moment heureux avec Cœur triste. Raconte une activité que tu aimes faire avec les autres.

Cœur triste nous a posé une question difficile. Il faut faire une enquête.

Tes parents parlent souvent de l'ancien temps. Ils ont des gros livres savants.

Allons les interroger.

# À l'époque de Jésus

Avec votre aide, Cœur triste va sûrement retrouver le sourire. Vous êtes les détectives du bonheur ! Nous allons vous raconter ce qui se passait au temps de Jésus. Chacun et chacune de vous doit reconnaître les personnages.

▶ Trouve le nom de chacun des personnages.
Utilise les suggestions suivantes.

une personne riche     un savant     une femme

un charpentier     un lépreux

un enfant     un étranger     un aveugle

Je suis

** **********.

Je fabrique des meubles. Je sais lire et écrire. Je connais les lois. Parfois, je mange avec le potier et quelques pêcheurs.

Je suis

*** ******** *****.

Tout le monde me respecte. J'achète mes vêtements chez les meilleurs commerçants. J'ai une place spéciale à la synagogue. Je ne fréquente pas les pauvres ni les malades.

Je connais très bien la Loi. Je dis aux gens comment l'appliquer dans leur vie. Les mendiants et les malades ne sont pas mes amis.

Je ne sais pas lire ni écrire. Les autres femmes non plus. Les hommes ne me parlent pas en public. Je ne peux pas dire ce que je pense.

Je suis aveugle depuis ma naissance. Je dois mendier pour vivre. Je suis très malheureux. Plusieurs personnes ne me parlent pas.

J'apprends à lire et à écrire. Je ne connais pas encore la Loi. On ne m'accorde pas beaucoup d'importance. Je dois écouter les grandes personnes et éviter de les déranger.

Je suis
** ********.

Je suis
** *******.

Je suis de passage à Nazareth. J'ai hâte de retourner chez moi, à Samarie. Les gens d'ici ne parlent pas aux Samaritains depuis bien des années.

Ma peau est couverte de plaies. Les gens ont peur d'attraper ma maladie, la lèpre. Je vis loin des gens bien portants. Je n'ai pas le droit d'entrer dans la ville.

## Des amis

Je vais mettre de l'ordre dans mes notes. À l'époque de Jésus, qui étaient des amis ?

▶ Choisis deux personnages qui peuvent prendre un repas avec le charpentier. Relie avec ton doigt chaque personnage au fauteuil qu'il peut occuper.

► Regarde à nouveau les personnages.
Trouve deux erreurs qui se sont glissées dans le dessin.

 **Mes choix**

Je sais une chose. À l'époque de Jésus, les gens n'étaient pas tous des amis. Qu'est-ce qui te surprend le plus ? Quel personnage aimerais-tu rencontrer ?

► Revois les illustrations. Nomme un personnage avec qui tu aimerais prendre un repas.

Aucune trace des clés secrètes ! Cherchons encore...

# Pourquoi sommes-nous si importants ?

## Toi et moi

Qui a abandonné ce coffre ?
L'enveloppe bleue contient
peut-être des indices.
Regardons...

« Cœur triste,

Je ne voulais pas te faire de la peine. J'aimerais jouer
avec toi. Personne ne peut te remplacer. Personne n'est
pareil à toi. Tu es unique au monde ! Regarde le portrait
que je t'envoie. Tu verras que nous sommes différents.

Noémie »

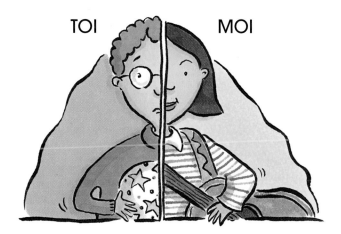

TOI          MOI

Matière préférée : sciences humaines
Plat préféré : poulet
Qualités : patiente et joyeuse
Talents : inventer des histoires, patiner

Matière préférée : français
Plat préféré : spaghetti
Qualités : patient et généreux
Talents : dessiner, nager

Ce qui me
caractérise le
plus : j'invente
des histoires.

Noémie et Cœur triste ne sont pas pareils. Pantoufle et Pantouflette non plus. Toi aussi, tu es unique au monde. Tes amis aussi.

▶ Sur une feuille, fais ton portrait et celui de ton meilleur ami ou de ta meilleure amie.

▶ Trouve ce qui te caractérise le plus. Pour t'aider, tu peux répondre aux questions suivantes.

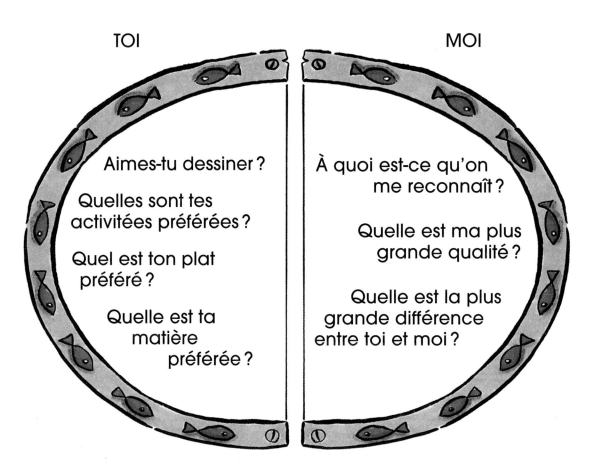

TOI

Aimes-tu dessiner ?

Quelles sont tes activitées préférées ?

Quel est ton plat préféré ?

Quelle est ta matière préférée ?

MOI

À quoi est-ce qu'on me reconnaît ?

Quelle est ma plus grande qualité ?

Quelle est la plus grande différence entre toi et moi ?

Pourquoi est-ce que chaque personne est unique ? **Pourquoi sommes-nous si importants ?**

# Génial !

Le coffre est rempli de trésors. C'est génial !

As-tu vu la montre ? La personne qui l'a fabriquée a pensé à tout. Elle a employé sa tête. Elle est intelligente ! Quelle est ton invention préférée ?

▶ Trace avec ton doigt le chemin qui conduit jusqu'à ton invention préférée.

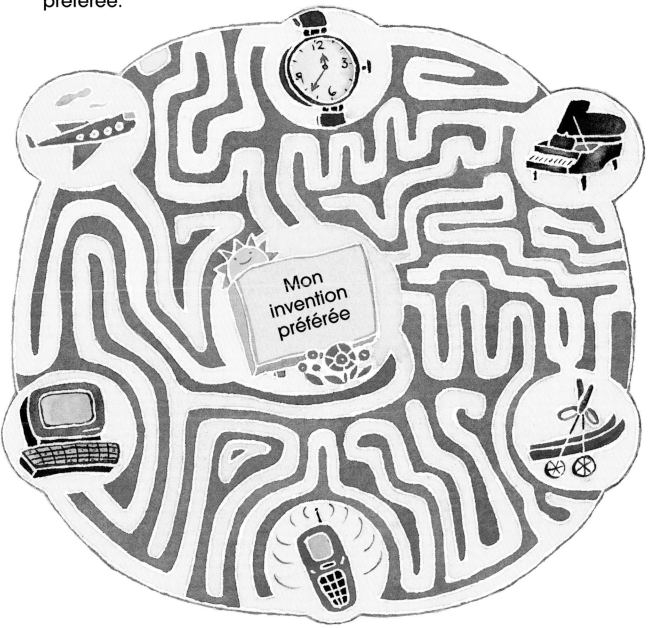

# Formidable !

Voilà une collection de revues ! Chacune présente des personnes extraordinaires. Certaines s'entraident. D'autres trouvent toutes sortes de moyens pour résoudre des problèmes. Observe les dessins.

▶ Relie avec ton doigt chaque pancarte aux dessins qui conviennent.

# Je suis capable

Ces gens sont des vraies merveilles ! Toi et moi aussi. Nous aidons les autres. Nous trouvons des solutions. Nous fabriquons des choses. Es-tu d'accord avec moi ?

▶ Choisis trois illustrations qui montrent que tu es capable de penser et d'aider les autres.

▶ Tu peux en discuter avec tes parents et tes amis

Je suis capable de penser et d'aider les autres.

Notre enquête avance. Allons à la bibliothèque.

# Jésus et les autres

J'ai trouvé une bonne piste. À l'époque de Jésus, certaines personnes étaient mises de côté. On ne leur montrait pas qu'elles étaient importantes. Que faisait Jésus ?

▶ Complète la dernière vignette. Remplace les chiffres par les lettres. Lis les phrases en utilisant ces mots.

▶ Choisis l'illustration que tu préfères.

Jésus est entré dans la maison d'un savant de la Loi. Il s'est mis à table et a mangé avec lui.

Jésus était à table et mangeait. Des pauvres et des malfaiteurs sont venus manger avec lui.

Jésus a écouté le lépreux. Il a pris soin de lui.

Jésus s'est arrêté près de l'aveugle. Il a pris soin de lui.

Jésus a embrassé les petits enfants et les a bénis.

| 1 | 2 | 3 | 4 | 5 | 6 | 7 | 8 | 9 | 10 |
|---|---|---|---|---|---|---|---|---|----|
| a | c | e | f | i | n | p | r | s | t |

Jésus [8] [3] [9] [7] [3] [2] [10] [1] [5] [10] tout le monde. Pour lui,

chaque personne était une merveille. Chaque personne était un

[3] [6] [4] [1] [6] [10] de Dieu.

21

# Comme Jésus

J'ai regardé attentivement les revues que j'ai trouvées dans le coffre. J'ai découvert que certaines personnes agissent comme Jésus.

L'abbé Pierre est un prêtre qui habite en France. Depuis longtemps, il prend soin des personnes que l'on met de côté.

Il les aide à trouver des logements. Il ramasse de l'argent pour acheter de la nourriture. Pour l'abbé Pierre, chaque personne est importante.

Isabelle et ses amis réparent des vêtements destinés aux mendiants.

Nestor et son équipe inventent des jeux pour aider les enfants handicapés.

Trouve une personne qui agit comme Jésus.

# Les ancêtres de Jésus

Des ancêtres de Jésus ont expliqué pourquoi chaque personne est unique au monde.

▶ Dans le texte ci-dessous, remplace les chiffres par les lettres. Tu sauras ce que ces ancêtres ont dit. Tu peux écrire tes réponses sur une feuille.

| 1 | 2 | 3 | 4 | 5 | 6 | 7 | 8 | 9 | 10 | 11 | 12 | 13 | 14 | 15 | 16 |
|---|---|---|---|---|---|---|---|---|----|----|----|----|----|----|----|
| a | b | d | e | f | g | i | l | m | n  | o  | p  | r  | s  | t  | v  |

Des ancêtres de Jésus ont écrit un beau poème. Ils ont raconté que Dieu est au commencement du monde.

Le sixième jour, Dieu a dit :

— Je vais faire l'homme et la femme à mon image. J'aimerais qu'ils me ressemblent ! Je veux qu'ils soient à mon ⬚7⬚ ⬚9⬚ ⬚1⬚ ⬚6⬚ ⬚4⬚ !

Dieu créa l'homme et la femme.

Il a dit à l'homme et à la femme :

— Vous êtes | 13 | 4 | 14 | 12 | 11 | 10 | 14 | 1 | 2 | 8 | 4 | 14 |
de la terre, des poissons, des oiseaux et des autres animaux.
Vous avez un rôle très important.

Dieu a regardé tout ce qu'il avait fait.
Il a vu que c'était très bon.

Un ancêtre priait Dieu, en disant :

— Dieu, ta création est une merveille, chacun de nous est une
| 9 | 4 | 13 | 16 | 4 | 7 | 8 | 8 | 4 |.

L'ancêtre Isaïe, qui parlait au nom de Dieu, a dit :

— Tu comptes beaucoup à mes yeux, tu es | 7 | 9 | 12 | 11 | 13 | 15 | 1 | 10 | 15 |
pour moi et je t'aime. Ne crains pas, car je suis avec toi.

# Jonas part en voyage

Je viens de lire le conte de Jonas. Un ancêtre de Jésus a écrit ce conte.

Les habitants de Ninive se conduisaient très mal. Ils ne prenaient pas soin des pauvres et des malades. Ils volaient et se battaient. Il y avait de la violence partout. Dieu a demandé à Jonas d'aller parler aux gens de Ninive.

Jonas ne voulait pas aller à Ninive. Il s'est dit en lui-même :

— Non, je ne veux pas aller dans ce pays étranger.

Jonas a décidé de s'enfuir pour se cacher de Dieu. Il a pris un bateau pour un pays lointain. Il est descendu au fond du bateau et s'est endormi.

Pendant le voyage, une terrible tempête s'est levée. Jonas dormait. Les vagues recouvraient le navire. Les marins avaient peur. Ils criaient :

— Nous allons périr. Au secours ! Au secours !

Le capitaine a réveillé Jonas, en lui disant :

— Vite, lève-toi. Il faut faire quelque chose. Demande à Dieu de nous sauver.

Jonas s'est levé et a dit à l'équipage :

— Tout est de ma faute. J'ai désobéi à Dieu. Voilà pourquoi la tempête est venue. Jetez-moi à la mer.

Les marins ont jeté Jonas à la mer. La tempête s'est apaisée. Les vagues ont emporté Jonas et un gros poisson l'a avalé. Jonas est resté dans le ventre du poisson pendant trois jours et trois nuits. Il priait Dieu :

— Je t'en prie, sauve-moi. Je te promets de faire ce que tu me demandes.

Le gros poisson a rejeté Jonas sur le bord de la mer. Surprise ! Il était à Ninive ! Il a parcouru la ville, en disant aux habitants :

— Cessez de mal agir. Sinon, votre ville sera détruite.

Les gens de Ninive ont écouté Jonas. Dieu était content. Il s'est dit :

— Jonas a bien parlé ! Je ne punirai pas les gens de Ninive.

Il faisait très chaud. Dieu a fait pousser un petit arbre pour protéger Jonas de la chaleur.

Jonas s'est assis à l'ombre du petit arbre pour observer les gens de Ninive. Il a vu que Dieu ne les punissait pas. Jonas s'est fâché contre Dieu :

— Ton cœur est trop grand ! Tu devrais détruire la ville de Ninive.

Le soleil très chaud a asséché le petit arbre. Jonas était triste. Il aimait son petit arbre. Le soleil était tellement chaud qu'il rendait Jonas malade. Il voulait même mourir.

Dieu lui a dit :

— Tu aimais ton petit arbre. Tu as de la peine parce qu'il est mort. Moi, j'aime les gens de Ninive depuis très longtemps. Je les aime tous, les bons et les moins bons. Voilà pourquoi je veux qu'ils vivent.

▶ Choisis l'illustration qui te montre que Dieu aimait Jonas.

▶ Mets les lettres dans le bon ordre. Tu trouveras pourquoi Dieu aimait tous les gens de Ninive. Lis la phrase en utilisant ce mot.

Dieu a le cœur grand comme le monde ! Il aimait tous les gens de Ninive parce que chacun d'eux était son (n e f n t a).

Pauvre Jonas ! Je sais ce que c'est une tempête...

# Une bonne raison

Je sais pourquoi chaque personne est si importante. Sais-tu pourquoi ?

► Lis à nouveau les cinq mots que tu as découverts (p. 23 à 28).

► Choisis le mot que tu préfères pour dire que tu es unique au monde.

Nous sommes importants. J'ai trouvé une clé qui donne le secret de la bonne entente. Elle est cachée dans cette grille. Ouvre les yeux.

► Suis la direction de ma tête. Au fur et à mesure, inscris sur une feuille les lettres que tu découvres. Tu trouveras la clé secrète.

## Clé secrète n° 1

► Revois les illustrations. Choisis celle qui te fait penser à la clé secrète.

## Mes besoins essentiels

Je me demande si ce coffre appartient à Cœur triste. Qui est Cœur triste ? Mystère !

Où sont les clés secrètes ? Explorons les alentours du bureau.

J'ai trouvé un cahier. Jetons un coup d'œil...

« J'ai insulté mon ami. J'étais jaloux. Je voulais avoir une casquette comme la sienne. Depuis ce jour, je reste tout seul dans mon coin. J'ai de la peine. Je n'ai plus personne à qui raconter mes secrets. J'ai besoin de mon ami. Il occupait une grande place dans ma vie. Avec lui, je me sentais heureux comme un roi.

Raphaël »

Pantoufle et Pantouflette ont des besoins comme Raphaël. Est-ce la même chose pour toi?

▶ Complète les mots en écrivant la syllabe qui manque. Tu trouveras quels sont tes besoins essentiels.

pren    ser    ai    man    voir    mis    vê

J'ai besoin de \*\*\*ger.

J'ai besoin de me \*\*tir.

J'ai besoin d'ap\*\*\*\*dre.

J'ai besoin de m'amu\*\*\*.

J'ai besoin d'\*\*mer et d'a\*\*\*\* des a\*\*\*.

Boussole et nos parents nous aident beaucoup dans notre enquête. Je me pose une question: **Est-ce bon de vivre ensemble?**

# Dans mon assiette

Je me demande ce que les autres font pour moi. Je vais faire une expérience. Je vais chercher le chemin du pain. Je saurai ainsi de qui j'ai besoin pour avoir du pain.

L'agriculteur sème et récolte le blé.

Le boulanger fait le pain.

Le camionneur livre le pain chez l'épicier.

L'épicier place le pain sur les tablettes.

Mes parents travaillent pour payer le pain.

Il faut beaucoup de monde !

# Ma maison

Fais une expérience toi aussi. Découvre les personnes qui ont fabriqué ta maison.

▶ Fais la chaîne des personnages. Raconte la fabrication de ta maison.

On dirait que les gens forment une grande chaîne.

# Faisons la chaîne

Jésus rencontrait des gens pauvres et des gens malades. Il rencontrait aussi des gens riches et des gens bien portants. Un jour, il a donné des conseils à tout le monde. Qu'est-ce que Jésus a dit à ces personnes ?

▶ Trouve les mots qui parlent des besoins essentiels.

▶ Choisis le conseil de Jésus que tu trouves le plus important.

Mettez-vous à la place des gens qui souffrent. Prenez soin de ceux et celles qui sont dans le besoin.

Donnez à manger aux personnes qui ont faim. Donnez à boire aux personnes qui ont soif.

Souhaitez la bienvenue aux étrangers. Donnez des vêtements aux personnes qui en manquent.

Rendez visite aux personnes qui sont malades. C'est ainsi que vous pourrez être heureux.

Nous sommes rattachés les uns aux autres. Je vais explorer cette piste. Une clé secrète s'y trouve peut-être.

# Comme Jésus

Je connais des personnes qui ressemblent à Jésus.
Elles font une grande chaîne d'amour. Regarde
autour de toi. Tu peux sans doute en découvrir.

Des adultes se mettent ensemble. Ils préparent des repas et vont les
porter aux personnes âgées.

Des personnes enseignent la
langue aux étrangers qui arrivent
au pays.

Des grands-mamans bercent des
petits bébés malades à l'hôpital.

▶ Trouve une personne qui aide les autres. Raconte une activité que
cette personne fait. Pour t'aider, tu peux répondre aux questions
suivantes.

• À qui cette personne rend-elle service ?

• Que fait cette personne pour aider les autres ?

• Est-ce qu'elle rend les gens plus heureux ?

• Est-ce qu'elle est contente d'aider les autres ?

# C'est bon !

On a besoin des autres pour vivre et pour être heureux. Jésus a eu des amis. Il a mangé et fêté avec eux. Les ancêtres de Jésus ont aussi parlé d'amour et d'amitié.

▶ Lis attentivement les mots qui ne sont pas écrits comme les autres.

▶ Choisis le mot qui te fait penser à tes parents ou à tes amis.

Un bon ami
est un **soutien**.

Un bon ami est aussi
précieux qu'un **trésor**.

Un bon ami est une
**joie** pour toute la vie.

Dieu s'est dit :
« Il n'est pas bon pour
l'homme de rester
seul. Je vais lui faire
une compagne. »
Il créa la femme.

Dieu vit que cela
était **très bon**.

Je pense
à mes parents
et à mes amis.

# Vive la compagnie !

Jésus a raison. Ma famille, mes voisins et mes amis sont très importants. Ils rendent ma vie plus belle. Es-tu d'accord avec moi ?

▶ Observe les photos. Choisis celle qui te fait penser à ta joie d'être avec les autres.

C'est bon d'être ensemble malgré les petites chicanes.

▶ Raconte une situation où tu trouves cela bon d'être avec les autres.
Tu peux dessiner ta réponse.

L'autre jour, Pantoufle et Pantouflette se sont dit des gros mots. Le lendemain, ils se sont excusés. Ouf ! L'important c'est de se parler et de se comprendre.

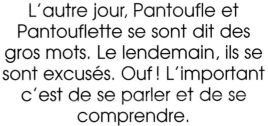

# Je sais pourquoi

J'ai besoin des autres.
Sais-tu pourquoi ?

▶ Remets les lettres dans le bon ordre. Tu trouveras pourquoi on a besoin des autres.

| i | r | v | e | v |
|---|---|---|---|---|

J'ai besoin des autres pour ✶✶✶✶✶.

| u | h | e | u | x | r | e |
|---|---|---|---|---|---|---|

J'ai besoin des autres pour être ✶✶✶✶✶✶✶.

Toute une découverte !
J'ai vraiment besoin des autres.

J'ai trouvé une clé. Cette clé donne un secret pour vivre plus heureux. Elle est cachée dans cette grille. Ouvre les yeux.

▶ Suis la direction de ma tête. Au fur et à mesure, inscris sur une feuille les lettres que tu découvres. Tu trouveras la clé secrète.

## Clé secrète n° 2

▶ Revois les photos. Choisis celle qui te fait penser à la clé secrète.

# Comment peut-on faire une chaîne d'amour ?

**Fêtons !**

La porte du bureau est grande ouverte. Le coffre est sur le balcon. Des ballons décorent l'entrée. Un garçon sort une nappe et des assiettes du coffre. Les trois autres enfants apportent les sandwiches et un gros gâteau. Un pique-nique se prépare.

Pantoufle et Pantouflette se regardent sans comprendre :

▶ Imagine-toi à la place de Ruth. Est-ce que tu irais à la fête ?

# Mes repas préférés

Je rêve d'un bon repas au bord de la mer. Quel genre de repas as-tu l'habitude de prendre ?

▶ Identifie les photos qui représentent des situations que tu as déjà vécues.

▶ Choisis la photo qui représente le genre de repas que tu préfères.

▶ Décris la figure 😟 , 😃 , 😠 que tu ferais si tu prenais le genre de repas illustré.

# Des invitations

Cœur joyeux m'a apporté quelques souvenirs de leur fête. Le menu était spécial !

Sandwiches
de la bonne entente
Carottes du rire
Jus de la danse
Gâteau du partage

Vive la compagnie !
Vive les amis !
Jouons, rions,
Amusons-nous.

Toi aussi, tu as des amis et des parents.
Imagine que tu organises une fête.
Prends le temps de bien te préparer.

▶ Décris le genre de repas que tu choisirais.

▶ Sur une feuille, écris la liste de tes invités.

▶ Décris le menu qui ferait plaisir à tes invités.

Menu

jus

fromage

carottes

pizza

gâteau
au chocolat

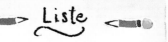

Liste

Noémie

Raphaël

Ruth

Pantoufle

Pantouflette

Mon frère

Les parents de Pantoufle nous attendent. Allons-y !

# En mémoire de Jésus

Comme vous le savez, Jésus a partagé le repas de bien des gens.

Jésus mangeait avec ses amis et avec des gens mis de côté. Il mangeait aussi avec des gens riches et puissants. Il prenait le temps de partager.

Un jour, une grande foule a suivi Jésus. Il y avait des hommes, des femmes et des enfants. Tous ces gens ont écouté Jésus pendant très longtemps.

Il était tard et personne n'avait encore mangé. Jésus a demandé à ses disciples de distribuer les pains et les poissons. Il n'y en avait pas beaucoup, mais tout le monde a partagé.

La fête de la Pâque approchait. Jésus a envoyé ses disciples réserver une salle pour cette grande fête.

Avant de s'asseoir à table, Jésus a lavé les pieds de ses disciples. Pierre était mal à l'aise. Jésus lui a fait comprendre quelque chose d'important :

— Je veux être au **service** des autres. Je veux prendre soin des autres.

Pendant le repas, Jésus a pris du **pain**, l'a béni et l'a rompu. Il en a donné à ses disciples, en disant :

— Prenez et mangez-en tous. Ceci est mon corps.

Ensuite, Jésus a pris une coupe de vin et a remercié Dieu.
Il en a donné à ses disciples, en leur disant :

— Prenez et buvez-en tous. Ceci est la coupe de mon sang.
Le sang, c'est ma vie que je donne par amour.
Faites cela en **mémoire** de moi.

Jésus est mort sur la croix. Il a donné sa vie. Il a donné son corps et son
sang. Il a aimé tout le monde.

Les disciples se sont réunis après la mort de Jésus. Ils mangeaient
ensemble. Ils rompaient le pain comme Jésus l'avait fait. Ils **partageaient**
ce qu'ils avaient. Ils s'entraidaient comme Jésus l'avait demandé.

Partout dans le monde, les croyants se rassemblent en mémoire de Jésus. **Tout le monde** est invité : les pauvres et les riches, les adultes et les enfants, les malades et les bien portants, les étrangers, les familles et les gens seuls. Ce rassemblement s'appelle l'**eucharistie**.

Les croyants refont les gestes de Jésus et redisent ses paroles. La Parole de Dieu les nourrit comme du bon pain frais.

Lors de l'eucharistie, les croyants refont leur force pour aimer les autres. Ils se mettent ensemble. Ils partagent. Ils font une grande chaîne d'amour.

# Un rassemblement

Les chrétiens se rassemblent en mémoire de Jésus. Sais-tu pourquoi ?

▶ Dans les pages précédentes, lis à nouveau les mots qui ne sont pas écrits comme les autres.

▶ À l'aide de ces mots, réponds aux questions. Écris tes réponses sur une feuille.

1. Comment s'appelle le rassemblement des croyants ?

2. Qu'est-ce que Jésus a rompu avec ses disciples ?

3. Qu'est-ce que Jésus a fait comprendre à Pierre en lui lavant les pieds ?

4. Que faisaient les disciples avec ce qu'ils avaient ?

5. Qui est invité à la fête de l'eucharistie ?

6. Qu'est-ce que Jésus a demandé à ses disciples lors du dernier repas ?

# Bravo !

Quand je suis avec mes amis,
j'ai le cœur qui chante.
  *Noémie*

Quand je prends un repas
  de fête,
j'ai le cœur tout chaud
  de joie.
  *Cœur joyeux.*

Quand je m'amuse avec
  les autres,
quand je console mes amis,
je fabrique une chaîne d'amitié.
  *Raphaël.*

Jésus a travaillé avec ses disciples.
Ils ont formé une belle équipe.
  *Ruth.*

Des gens de toutes les croyances
  suivent les conseils de Jésus.

Ils prennent soin les uns des autres.
  *Pantouflette.*

Les chrétiens et les chrétiennes
  se souviennent de Jésus.

Ils forment une grande famille.
  *Pantoufle.*

▶ Toi, aussi, tu peux écrire ce que tu penses.

J'ai trouvé une autre clé.
Elle donne un secret pour mieux
nous aimer. Elle est cachée dans
cette grille. Ouvre les yeux.

▶ Suis la direction de ma tête. Au fur et à mesure, inscris sur une feuille les lettres que tu découvres. Tu trouveras la clé secrète.

## Clé secrète n° 3

▶ Revois les illustrations. Choisis celle qui te fait penser à la clé secrète.

# 2 Réfléchissons...

# Comment agir avec les autres ?

 ## Mes observations

Nous sommes différents les uns des autres. Nous ne parlons pas tous la même langue. Nous n'appartenons pas tous à la même religion. Certaines personnes sont riches et d'autres sont malades. Comment peut-on se comporter avec les gens différents de nous ? Voici ce que j'ai observé au cours de mes enquêtes...

Nous sommes différents, mais nous avons tous les mêmes besoins. Es-tu d'accord avec moi?

▶ Comment te sentirais-tu si tu étais à la place des enfants des bandes dessinées?

▶ Nomme deux différences que tu remarques entre toi et les jeunes des bandes dessinées.

▶ Nomme deux besoins que tu éprouves et que les jeunes des bandes dessinées éprouvent aussi.

Comment agir avec les autres?

# Que faisait Jésus ?

Mes parents nous ont parlé des gens au temps de Jésus. Est-ce que tu t'en souviens ? Découvre ce que Jésus faisait.

Jésus s'occupait des pauvres et des riches. Il parlait aux hommes et aux femmes. Il prenait soin des étrangers et des gens de son pays. Jésus respectait les autres. Je te rapporte deux faits qui m'ont bien étonné.

▶ Choisis l'illustration qui te surprend le plus. Tu peux en discuter avec tes camarades de classe.

Jésus était de passage à Samarie. Il s'est assis au bord d'un puits pour se reposer.

Une femme est arrivée pour puiser de l'eau. Jésus lui a dit :

— Donne-moi à boire.

La Samaritaine était très surprise. Elle a répondu :

— Je ne comprends pas ! Pourquoi me parles-tu ? Un homme ne parle jamais à une femme en public. Et encore moins à une Samaritaine !

Un jour, un soldat romain s'est approché de Jésus. Il lui a dit :

— Mon serviteur est malade. Il souffre terriblement.

Jésus lui répondit :

— Je vais aller le voir.

— Non, non ! Je suis un étranger. Je ne suis pas digne que tu viennes chez moi. Ne te dérange pas. Tu n'as qu'à dire un mot et mon serviteur sera guéri.

— J'admire ta confiance. Va chez toi. Tu vas retrouver ton serviteur en bonne santé.

Pour Jésus, chaque personne était importante. Il connaissait bien la clé secrète n° 1.

▶ Nomme cette clé secrète.

▶ Choisis l'illustration qui te fait penser à cette clé secrète.

▶ Imagine-toi à la place de la Samaritaine. Comment te sentirais-tu ?

# Un homme blessé

Certaines personnes n'étaient pas contentes de voir Jésus s'occuper de tout le monde. Un jour, un savant a voulu l'embarrasser. Voici ce qui est arrivé...

► Choisis l'illustration qui te touche le plus. Dis pourquoi elle te touche.

1 Qu'est-ce que je dois faire pour être heureux ?

2 Qu'est-ce qui est écrit dans la Loi ?

1 Je dois aimer Dieu et mon prochain.

2 Bonne réponse.

1 Qui est mon prochain ?

2 Écoute cette histoire.

Un homme descendait de Jérusalem à Jéricho. Des bandits l'ont attaqué. Ils l'ont battu et lui ont volé son argent. Ils l'ont laissé à moitié mort sur le chemin.

Deux prêtres sont passés par ce chemin. Ils ont vu l'homme blessé. Ils ont continué leur route sans s'occuper de lui.

Un Samaritain est passé par ce chemin. Il a vu l'homme blessé. Il s'est approché. Il a eu beaucoup de peine en le voyant dans cet état.

Le Samaritain a versé de l'huile et du vin sur ses blessures. Il les a enveloppées de pansements.

Il a conduit le blessé à l'auberge et s'est occupé de lui.

Le lendemain, le Samaritain a donné de l'argent à l'aubergiste. Il lui a dit :
— Prends soin de cet homme. En revenant, je te paierai ce que tu auras dépensé en plus pour lui.

Le Samaritain s'est mis à la place de l'homme blessé. Il a mis en pratique la plus grande des lois. Cette loi est connue partout dans le monde. On l'appelle la règle d'or :

La règle d'or

« Fais aux autres ce que tu veux que les autres fassent pour toi. »

▶ Dans l'histoire de l'homme blessé, trouve l'illustration qui te fait penser à la règle d'or.

▶ Imagine-toi à la place de l'homme blessé. Comment te sentirais-tu ?

Je comprends ! Il s'agit de se mettre à la place des autres. Une clé secrète dit la même chose.

▶ Remets en ordre les dessins. Tu trouveras la clé secrète qui a servi au Samaritain.

La clé secrète s'appelle *****.

# Dans l'autobus scolaire

J'aimerais te raconter ce qui est arrivé dans l'autobus scolaire.

Dominique est différent des autres. On ne comprend pas toujours ce qu'il dit. Il apprend lentement.

Il est gentil avec les autres. Il occupe toujours la même place dans l'autobus scolaire. Il s'assoit à côté de Grégory.

Un jour, Josée a volé la place de Dominique.

Dominique regardait partout. Il avait peur. Il s'est assis par terre et s'est mis à pleurer.

Aide Grégory à résoudre son problème. C'est facile ! Tu n'as qu'à répondre aux questions de mes détectives favoris.

Grégory a vu la peine de Dominique. Il s'est demandé quoi faire.

# Qu'est-ce que Grégory peut faire ?

**1** **Que s'est-il passé ?**

▶ Trouve dans l'histoire le mot qui décrit le mieux Dominique.

▶ Remets en ordre les sept images. Tu sauras ainsi quelle clé secrète utiliser pour aider Grégory.

▶ Raconte dans tes propres mots ce qui s'est passé.

## **2 Je ramasse mes informations.**

Dominique est une personne importante.

Dominique est comme moi. Il a besoin d'être aimé.

Jésus a respecté tout le monde.

Je me mets à la place de Dominique...

## **3 Quels sont mes choix ?**

▶ Associe chacun de mes choix aux dessins et commentaires suivants.

Dominique ne se sent pas aimé.

Je me sens mal en pensant à Dominique.

Je donne ma place à Dominique.

Je ne m'occupe pas de Dominique.

Dominique se sent aimé.

Le Samaritain a écouté son cœur.

Je suis heureux d'avoir aidé Dominique.

**4** **Je prends une décision.**

J'ai bien réfléchi. Je sais ce que je vais faire. **Quelle décision prendrais-tu à ma place ?**

▶ Choisis la réponse de ton choix.

Je donne ma place à Dominique.

Je ne m'occupe pas de Dominique.

▶ Retranscris sur une feuille la réponse de ton choix.

# Je m'explique

Tu as bien réfléchi avant de prendre ta décision. Explique à tes amis pourquoi tu as pris cette décision.

# Au terrain de jeux

Pantouflette m'a raconté cette histoire...

Khan est différente des autres. Elle vient d'arriver dans notre pays. Elle connaît seulement quelques mots de notre langue. Elle est très gênée. Elle n'est pas capable de se faire des amis. Elle se promène souvent à bicyclette toute seule.

Un jour, Miguel et Nancy ont aperçu Khan au terrain de jeux. Ils l'ont regardée se balancer. Elle avait l'air triste.

Miguel a continué de construire son château de sable. Nancy, elle, a sorti sa collation...

Nancy a vu Khan. Elle s'est demandé quoi faire.

Aide Nancy à résoudre son problème. Tu n'as qu'à suivre les quatre pistes de reflexion qu'elle te propose.

# Qu'est-ce que Nancy peut faire ?

**Que s'est-il passé ?**

▶ Trouve dans l'histoire le mot qui décrit le mieux Khan.

▶ Remets en ordre les cinq images. Tu sauras ainsi quelle clé secrète utiliser pour aider Nancy.

▶ Raconte dans tes propres mots ce qui s'est passé.

**② Je ramasse mes informations.**

Je me mets à la place de Khan...

Khan est une personne importante.

Comme moi, elle a besoin d'être aimée.

Le Samaritain a été bon envers l'étranger blessé.

**③ Quels sont mes choix ?**

▶ Associe chacun de mes choix aux dessins et commentaires suivants.

Khan ne se sent pas accueillie.

Je me sens mal en pensant à Khan.

J'offre une collation à Khan.

Je ne m'occupe pas de Khan.

Khan se sent aimée et accueillie.

Je suis heureuse d'avoir aidé Khan.

Le Samaritain a écouté son cœur.

**4 Je prends une décision.**

J'ai bien réfléchi.
Je sais ce que je vais faire.
**Quelle décision prendrais-tu
à ma place ?**

▶ Choisis la réponse de ton choix.

   **J'offre une collation à Khan.**

   Je ne m'occupe pas de Khan.

▶ Retranscris sur une feuille la réponse de ton choix.

## Je m'explique

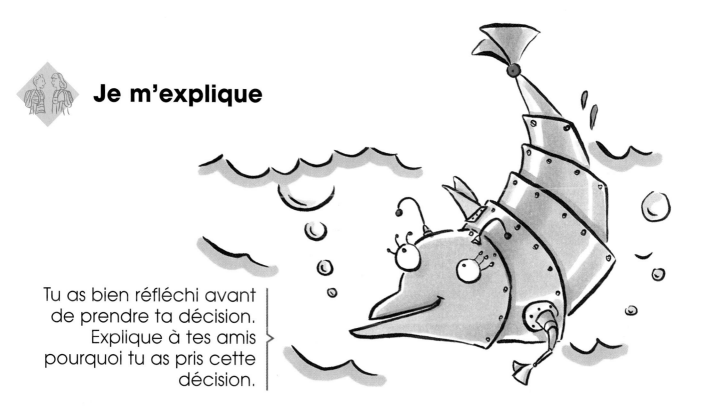

Tu as bien réfléchi avant
de prendre ta décision.
Explique à tes amis
pourquoi tu as pris cette
décision.

# Est-ce que c'est bon de pardonner?

## Des petits problèmes

J'aime beaucoup travailler avec Pantouflette. Nous avons parfois des petites chicanes. Nous nous faisons de la peine. Cela t'arrive-t-il à toi aussi? Je te rapporte les aventures de quelques jeunes de ton âge.

Comme tu vois, les relations avec les autres ne sont pas toujours faciles. As-tu déjà eu des petits problèmes ?

▶ Raconte une situation que tu as déjà vécue.

▶ Comment te sentirais-tu si tu étais à la place des enfants des bandes dessinées ?

Je me demande **si c'est bon de pardonner.**

# Le chagrin de Ruth

Je viens de rencontrer Cœur triste. Non, je veux dire Cœur joyeux. Il m'a parlé de son aventure avec Ruth.

Mes parents m'ont dit qu'ils se séparaient. J'avais de la peine. J'ai tout raconté à Ruth, ma meilleure amie. Elle m'a promis de n'en parler à personne.

Ruth a tout raconté à Martin, un garçon de ma classe. Elle n'a pas tenu sa promesse.

J'avais le goût de pleurer. Je me suis dit :

— Ruth n'est plus mon amie. C'est fini !

Le lendemain, Ruth m'a téléphoné pour s'excuser. J'étais très fâché :

— Ne m'appelle plus. Je ne veux plus te voir.

Elle a raccroché sans rien dire.

J'étais très triste. À l'école, Ruth a essayé de me parler. Je me bouchais les oreilles. Je n'étais pas capable d'être gentil.

Quelques jours plus tard, Ruth a sonné à ma porte. Elle m'a dit :

— Pardonne-moi. Je ne voulais pas te faire de la peine. Je ne recommencerai plus. Est-ce que je peux être à nouveau ton amie ?

J'ai répondu :

— Je ne sais pas pourquoi tu as brisé ta promesse. Je suis déçu. Mais on peut faire la paix.

Ruth avait un grand sourire. Elle m'a invité à dîner chez elle. J'étais soulagé et heureux de retrouver mon amie.

On s'est parlé. Elle m'a consolé. On a partagé. Nous avons refait notre chaîne d'amour.

Cœur joyeux n'était pas capable de pardonner tout de suite. Il avait trop de peine. Il était trop fâché.

▶ Trouve les mots qui montrent que Cœur joyeux avait de la peine.

▶ Trouve les mots qui montrent que Ruth avait des regrets.

▶ Choisis l'illustration qui te fait penser à la chaîne d'amour.

# Le chagrin de Pierre

Pierre aimait beaucoup Jésus. Un jour, un problème est survenu.

Certaines personnes n'aimaient pas ce que Jésus faisait. Jésus le savait. Il en avait parlé plusieurs fois à ses disciples.

Après le repas de la Pâque, Jésus a dit à ses disciples :

— Cette nuit, vous allez peut-être m'abandonner.

Pierre a répondu :

— Moi, je ne t'abandonnerai jamais. Je suis ton ami. Je vais toujours rester avec toi.

Cette nuit-là, des soldats ont arrêté Jésus. Ils l'ont conduit chez le grand-prêtre. Pierre attendait Jésus dehors.

Des gens se sont approchés de Pierre, en disant :

— Toi aussi, tu es un disciple de Jésus !

Trois fois, Pierre a répondu :

— Non, je ne connais pas Jésus !

Soudainement, Pierre s'est
souvenu de sa promesse.
Il a beaucoup pleuré.

Jésus a été condamné à mort.
Sur la croix, il a prié son Père :

— Père, pardonne à mes
bourreaux. Ils ne savent
pas tout le mal qu'ils font.

Après sa résurrection, Jésus a
demandé trois fois à Pierre :

— Pierre, est-ce que tu m'aimes ?

Trois fois, Pierre a répondu :

— Seigneur, tu sais que je t'aime.

Jésus a pardonné à Pierre.
Il lui a même confié
un travail important :

– Prends soin de mes disciples.

Jésus a invité ses disciples à pardonner comme il l'a fait :
— Pardonnez aux autres aussi souvent que nécessaire.

Cœur joyeux a pardonné tout comme Jésus.
Ruth a retrouvé le sourire tout comme Pierre.

▶ Imagine ce qui s'est passé dans le cœur de Pierre.

▶ Choisis l'illustration qui te fait penser à la chaîne d'amour.

# La télécommande

Nous étions chez les voisins.
Une dispute a éclaté...

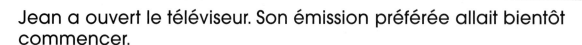

Jean a ouvert le téléviseur. Son émission préférée allait bientôt commencer.

Roselyne est entrée dans le salon en coup de vent. Elle voulait regarder une autre émission. Jean a refusé. Des cris ont suivi. La télécommande s'est retrouvée par terre.

Jean s'est fâché. Il a claqué la porte de sa chambre. Il a dit à Roselyne de ne plus compter sur son aide. Roselyne lui a crié des noms avant d'aller dans sa chambre à son tour.

Le lendemain, Roselyne ne comprenait pas ses mathématiques.
Elle a demandé l'aide de Jean. Jean ne savait pas quoi faire.

▶ Revois chaque illustration de cette histoire. Décris les sentiments que
Jean éprouve. Tu peux choisir parmi les suggestions données.

est triste     est joyeux

est fâché     désire se venger

▶ Aide Jean à résoudre son problème. Tu n'as qu'à suivre les quatre
pistes qu'il te propose.

Je vais réfléchir.

# Jean va-t-il pardonner?

**1** **Que s'est-il passé?**

Je revois dans ma tête ce qui s'est passé.

▶ Remets en ordre les cinq images. Tu sauras ainsi quelle clé secrète utiliser pour aider Jean.

▶ Raconte dans tes propres mots ce qui s'est passé.

▶ Trouve ce que voulait Roselyne.

• Elle voulait me faire de la peine.

ou

• Elle voulait regarder son émission.

**Je ramasse mes informations.**

Roselyne se fâche toujours vite.

Roselyne est comme moi. Elle a besoin d'aide.

Jésus a pardonné à Pierre.

> Je me mets à la place de Roselyne...

**Quels sont mes choix ?**

▶ Associe chacun de mes choix aux commentaires suivants :

**4** **Je prends une décision.**

> J'ai bien réfléchi. Je sais ce que je vais faire. **Quelle décision prendrais-tu à ma place ?**

▶ Choisis la réponse de ton choix.

Je pardonne à Roselyne.

Je refuse d'aider Roselyne.

▶ Retranscris sur une feuille la réponse de ton choix.

 **Je m'explique**

Tu as bien réfléchi avant de prendre ta décision. Explique à tes amis pourquoi tu as pris cette décision.

Pourquoi est-ce que je prends cette décision ?

# Je me rappelle

## En deuxième année

Nous sommes allés dans la classe de mon cousin. Les élèves de deuxième année avaient quelques problèmes de relation. As-tu déjà vécu cette expérience ? **En as-tu parlé avec d'autres ? En as-tu parlé avec Dieu ?**

▶ Raconte un problème de relation que tu as déjà vécu. Écris ou dessine ta réponse sur une feuille.

# Mes moments heureux

Cœur joyeux et ses amis ont passé des moments très heureux. Ils en ont parlé ensemble et avec Dieu. Essaie de te souvenir de tes moments heureux.

▶ Raconte un moment heureux que tu as passé avec tes parents ou tes amis. Tu peux écrire ta réponse sur une feuille.

**Mon Dieu,**
on est tellement
bien ensemble !

J'ai eu beaucoup de plaisir au pique-nique.
Il y avait une lumière dans mon cœur.
J'étais heureux comme un beau ballon rouge.

**Mon Dieu,**
je sais qu'elle
est une merveille
pour toi.

J'ai une nouvelle petite sœur.
Elle est comme une petite fleur fragile.
Je la regarde dormir.
On dirait qu'elle me comprend quand je lui parle.

**Mon Dieu,**
je suis fière de moi.

J'ai passé une super belle journée.
J'ai réussi mes mathématiques.
Je sautais de joie.
J'ai acheté un gros chocolat à mon frère pour le remercier.

**Mon Dieu,**
tu m'aides à avoir
des bonnes idées.

J'ai partagé ma collation avec Khan.
J'étais contente de la voir sourire.
Je me sentais comme un cerf-volant dans le ciel.

Je me souviens d'une belle excursion
que j'ai faite avec ma classe.
On a eu beaucoup de plaisir.
On a même cueilli des pommes.

# Mes peines

Mes parents et mes amis sont très importants pour moi. Ils me causent parfois des grosses peines. Est-ce la même chose pour toi ? Souviens-toi de tes peines comme Cœur joyeux et ses amis le font.

▶ Raconte une peine qu'une personne t'a causée. Tu peux faire un dessin.

J'ai fait de la peine à mon ami, Cœur joyeux.
Je sens une grosse boule dans ma gorge.
J'ai le goût de pleurer.
Je regrette ce que j'ai fait.

**Mon Dieu,**
je ne veux plus
recommencer.

**Mon Dieu,**
je veux aller
m'excuser.

Je me suis disputé avec mon frère.
Je lui ai dit des gros mots.
Je l'ai accusé pour rien.
Je suis fâché contre moi.

**Mon Dieu,**
tu me connais
par mon nom.
Pour toi, je suis
unique au monde.

Je suis jaloux de Cœur joyeux.
Je lui ai dit que sa casquette était laide.
Je ne voulais pas qu'il soit meilleur que moi.
J'ai peur que les autres ne m'aiment pas.

**Mon Dieu,**
prends soin de
mon grand-papa
d'amour.

Mon grand-papa vient de mourir.
Je m'ennuie de lui.
Il me racontait des histoires.
Il me consolait toujours.

Je me souviens du jour
où j'ai brisé ma bicyclette.
J'étais triste. J'en ai parlé à mes parents
et même à Dieu.

# Des moyens tout simples

Pantoufle et Pantouflette trouvent des bons moyens pour résoudre leurs mésententes :

– ils respirent profondément avant de se fâcher ;
– ils disent comment ils se sentent ;
– ils demandent l'aide d'une personne ;
– ils s'écoutent ;
– ils essaient de ne pas se couper la parole.

Ils ne réussissent pas toujours !

▶ Cherche ce que tu peux faire pour résoudre tes disputes.

▶ Cherche les paroles que tu pourrais dire pour résoudre tes disputes.

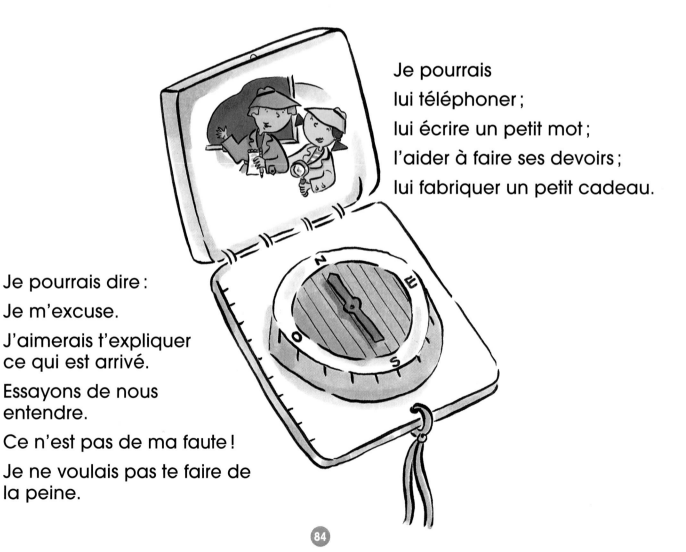

Je pourrais
lui téléphoner ;
lui écrire un petit mot ;
l'aider à faire ses devoirs ;
lui fabriquer un petit cadeau.

Je pourrais dire :

Je m'excuse.

J'aimerais t'expliquer ce qui est arrivé.

Essayons de nous entendre.

Ce n'est pas de ma faute !

Je ne voulais pas te faire de la peine.

# 3 Le temps de fêter

# Quelle est la bonne nouvelle ?

## J'ai hâte !

J'ai hâte à Noël ! Les décorations, la musique, les surprises me rendent de bonne humeur. J'ai fabriqué un beau cadeau pour Pantoufle. Chut ! Pas un mot ! Aimes-tu notre sapin ? Aide-nous à terminer notre crèche.

► Décris les personnages qui manquent.

► Lis l'inscription au-dessus de la crèche.

Quelle est cette bonne nouvelle ?

# Une nuit étoilée

La question de Boussole m'embête. Je sais que des disciples de Jésus ont mis par écrit la bonne nouvelle. Ils ont raconté l'histoire de la nuit étoilée. Je vais la relire.

▶ Trouve le mot qui manque à l'aide des lettres qui se sont envolées. Tu connaîtras ainsi la bonne nouvelle.

Marie et Joseph sont allés à Bethléem comme le chef du pays le demandait.

Marie avait besoin de se reposer. Joseph ne trouvait pas d'endroit. Tous les deux sont allés dans une grotte. C'est là que Jésus est né.

Des bergers gardaient leurs troupeaux dans les champs. La nuit était très belle. Le ciel avait allumé toutes ses étoiles. Un messager de Dieu a dit aux bergers :

— N'ayez pas peur. Je vous annonce une bonne nouvelle. Aujourd'hui, un ****** est né. Gloire à Dieu ! Paix sur la terre !

u a S
e v
u r

Les bergers se sont mis en route pour Bethléem. Ils sont entrés dans la grotte. Ils ont vu Marie et Joseph avec Jésus couché dans une mangeoire. Ils n'en croyaient pas leurs yeux. Ils ont remercié Dieu de tout leur cœur. Ils ont félicité les nouveaux parents et sont partis annoncer la bonne nouvelle.

Les bergers ont été les premiers à recevoir la bonne nouvelle. Pourquoi ? Qui sont les bergers ? Faisons une petite enquête.

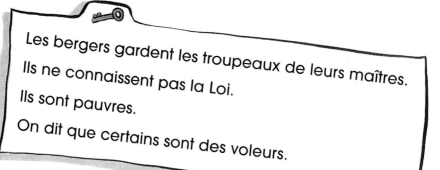

Les bergers gardent les troupeaux de leurs maîtres.

Ils ne connaissent pas la Loi.

Ils sont pauvres.

On dit que certains sont des voleurs.

Je ne comprends pas pourquoi ils ont été les premiers à apprendre la nouvelle.

La réponse est peut-être cachée dans l'une de ces clés.

Génial ! Essayons la clé n° 1. Elle donne le secret de la bonne entente.

▶ Trouve le mot qui manque à l'aide des lettres qui se sont envolées. Tu trouveras pourquoi les bergers ont été les premiers à apprendre la nouvelle.

Pour Jésus, les bergers étaient des personnes importantes. Ils avaient droit au *******.

J'ai tout compris ! Jésus est le Sauveur des bergers. Il a dit à tout le monde que les bergers sont importants.

Jésus est proche des bergers. Il est proche des gens riches et des gens pauvres. Il s'occupe des malades et des bien portants. Il accueille les enfants. Jésus respecte tout le monde !

Jésus est le Sauveur. Il donne de la joie aux grands et aux petits.

# Une carte de Noël

Certaines personnes ressemblent aux bergers. On ne leur parle pas. On ne leur fait pas confiance. Connais-tu une personne qui est mise de côté ? Que pourrais-tu faire pour elle ?

Je connais quelqu'un... J'ai le goût de lui envoyer une carte de Noël. Je vais écrire un petit mot et faire un très très beau dessin. Est-ce que j'ai une bonne idée ?

▶ Écris un petit mot à la personne de ton choix.

# Est-ce que je peux encore lui parler ?

 ## C'est triste !

Je me promenais tranquillement quand j'ai entendu cette conversation... Écoute bien.

► Si oui, choisis la vignette qui représente une situation que tu as déjà vécue.

# Une promesse

La question de Raphaël nous a intrigués. Nous avons cherché des informations du côté de Jésus.

Jésus a expliqué à ses disciples ce qui arriverait après sa mort. Il a employé des images pour les aider à comprendre.

▶ Trouve les mots qui manquent avec les lettres qui se sont envolées. Tu découvriras ainsi les images que Jésus a employées.

Je m'en vais auprès de mon Père. Dans sa ✱✱✱✱✱✱, il y a beaucoup de place. Je vous le promets. Vous viendrez vous aussi.

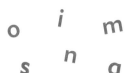

o   i   m

s   n   a

a

i   s

p

d

r   a

Jésus a été crucifié entre deux malfaiteurs. Un des malfaiteurs lui a dit :

— Je me suis mal conduit. Je le regrette. Jésus, souviens-toi de moi.

Jésus lui a répondu :

— Je te le promets. Aujourd'hui, tu seras avec moi dans le ✱✱✱✱✱✱✱.

Jésus est mort. Un homme, Joseph d'Arimathie, a déposé son corps dans un tombeau qu'il avait creusé dans le roc. Il a mis une grosse pierre à l'entrée du tombeau.

Le dimanche matin, deux amies de Jésus sont venues au tombeau. Elles ont vu que la pierre avait été enlevée. Elles étaient tristes. Un messager de Dieu leur a dit :

— Jésus est revenu à la vie. Il n'est pas ici.

Remplies de joie, elles sont allées dire aux disciples :

— Jésus est vivant !

Paul, un disciple de Jésus, a dit :

— Un jour, nous serons avec le Seigneur pour toujours.

Jésus est vivant ! Le grand-papa de Ruth est dans la joie. Il vit tout près de Dieu. Ruth peut lui parler et parler avec Dieu en même temps. La vie est plus forte que tout.

▶ Choisis l'illustration que tu préfères pour parler de la vie auprès de Dieu.

# L'œuf de Pâques

L'œuf de Pâques représente la vie nouvelle. Je pense aux arbres qui renaissent. Je pense aux disciples qui ont découvert que Jésus était vivant. Je pense à Ruth qui continue de parler avec son grand-papa. À qui penses-tu ?